유레카 팝송 영어회화 200은

MBC 라디오에서 1

있는 팝송을 뽑았고 … 영어회화 200>에 … 과 영어회화 표현어 … 하는 방법으로 팝송을 … 영어 실력을 종합적으로 키울 수 있다.

팝송 영어공부(유레카 팝송 영어회화 200 추가책 3곡)는

유레카 팝송 영어회화 200에 없는 3곡을 담았다. <유레카 팝송 영어회화 200>과 같은 구성으로 되어 있다.

유튜브 강의 rb.gy/ttuwi

전체 자료 rb.gy/e5k91

익히는 법

① 각 장의 앞부분에 있는 QR코드를 휴대폰의 카메라로 비추면 팝송을 들을 수 있다. 팝송을 들으며 빈칸을 받아 쓴다. (생략 가능)

② 유튜브 무료 강의를 활용하여 불러보고 해석한다.

③ 팝송의 핵심 문장을 문법 패턴과 회화 표현(p.8-9, p.18-19, p.28-29)으로 확장한다.

마이크 황은

마이클리시 출판사의 대표. 영어와 작곡을 전공한 영어책 작가로, 40권 넘게 영어 책을 출간했다. '미래소년'으로 음악을 만들고 있다.

유튜브 rb.gy/u2phy **음악 듣기** rb.gy/88bqd

마이크 선생이 엄선한 팝송

1

You Are The Sunshine of My Life / **Stevie Wonder**

작곡/노래 스티비 원더 **국적** 미국 **발표** 1972 **장르** 소울

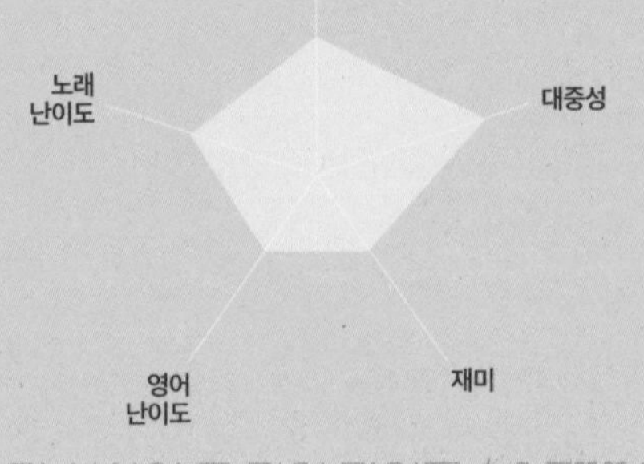

유얼 더 선샤인 옵 마이 라이프 / **스티비 원더**

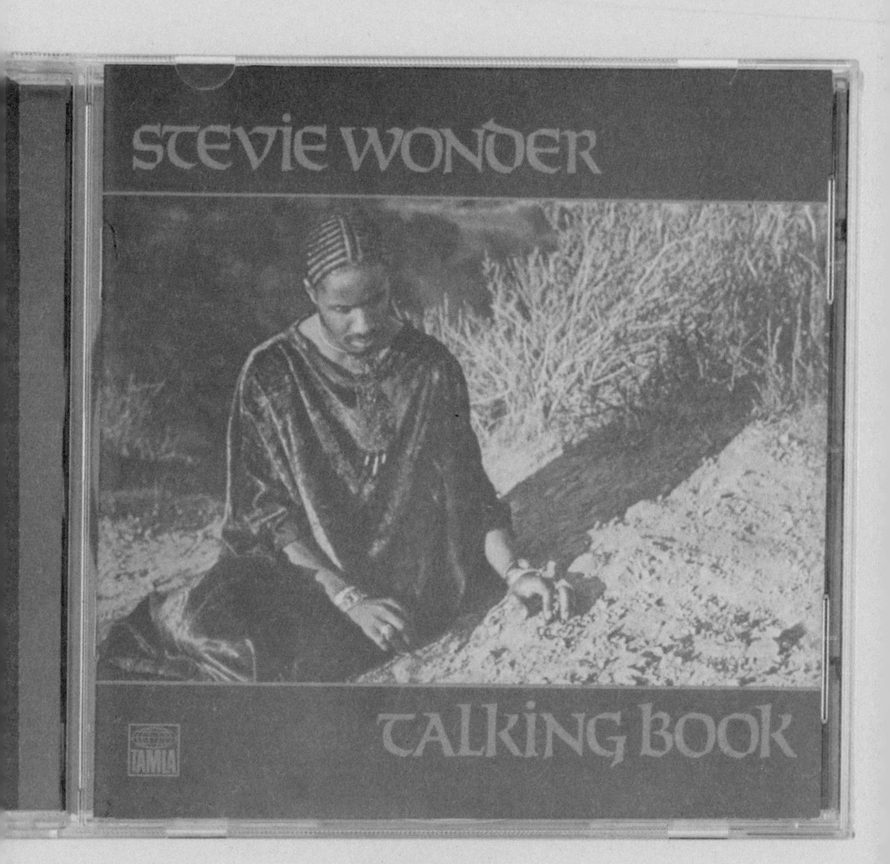
STEVIE WONDER
TALKING BOOK
TAMLA

1 You Are the Sunshine of My Life

2:58

0:16 You are the sunshine ______ my life.
유 얼 더 썬샤인 마이 라잎

That's why I'll always be around.
대ㅆ 와이 알 어웨이ㅈ 비 어롸운ㄷ

You are the apple of my ______.
유 어 디 애쁠 업 마이

Forever you'll stay in my heart.
포레버 율 ㅅ테이 인 마이 핱

0:46 I feel like this is the ______
아이 필 라읶 띠ㅆ 이ㅈ 더

though ______ loved you
도우 럽 유

for a million years,
포 어 밀리언 이얼ㅈ

And if I thought our love was ______,
앤 이파 떹 알 럽 워

I'd find myself
아읻 파인 마이쎒

drowning in my ______ tears,
ㄷ라우닝 인 마이 티어ㅈ

whoa whoa, oh oh oh.
우워 우워(우) 워 오 오

너는 내 삶의 햇빛

당신은 내 삶의of 햇빛이에요.
업

그게 제가 항상 (당신) 주변에 있는 이유지요.

당신은 제 눈의eye 눈동자(처럼 소중)에요.
아이

당신은 제 마음에 영원히 머물 거에요.

저는 이것을 시작처럼beginning 느껴요
비긴닝

제가I've 당신을 사랑했어도
아입

백만 년 동안,

그리고, 제가 우리의 사랑이 끝난다고 생각하면ending
젠딩

제 자신을 찾게될 거에요

자신의own 눈물에 젖어있는 (자신을).
오운

우워 우워 워 오 오

▸ that's를 '댙ㅊ'대신 '댙ㅆ'로 발음하기도 한다.
▸▸ like 뒤에 문장(this is~)이 왔으므로, like를 접속사로 쓴 것이다.
▸▸▸ if I는 대부분 '이파이'로 발음한다.

1:14 You are the sunshine of my life. (yeah)
유 어 더 썬샤넙 마이 라잎 예

That's why I'll always stay around.
댙ㅊ 와이 아일 얼웨이ㅈ ㅅ테이 어라운(ㄷ)

(mmm mmm yeah yeah)
음 음 예 예

1:28 You are the apple of my eye.
유 어 디 애쁠 업 마이 아이

Forever you'll stay in my heart.
포에버 율 ㅅ테이 인 얼ㄷ

1:44 You must have known that I was lonely,
유 머ㅆ탭 노운 댙 아 워ㅈ 론리

because you ________ to my rescue.
비커쥬 투 마이 레ㅅ큐

And I know that this must be heaven.
앤 아 노우 댙 디ㅆ 머씉 비 헤번

How could so much love
하우 쿧 쏘 머치 럽

be inside ________ you?
비 인싸이 유

whoa ooh, whoa oh
우워 우 워 오

2:11

2:26 You are the apple of my eye.
유 어 디 애쁠 업 마이 아이

Forever you'll stay in my heart.
포에버 율 ㅅ테이 인 얼ㄷ

당신은 내 삶의 햇빛이에요. (그렇죠.)

그게 제가 항상 (당신) 주변에 있는 이유지요.

음 음 예 예

당신은 제 눈의 눈동자(처럼 소중)에요.

당신은 이 마음에 영원히 머물 거에요.

당신은 제가 외롭다는 것을 알았음이 분명해요,

당신이 저를 구하러 왔기came 때문이지요.
케임

그리고 저는 이것은 천국임을 확신해요.

어떻게 이렇게 많은 사랑이

당신 안에 있을 수 있나요of?
업

우워 우, 워 오

당신은 제 눈의 눈동자(처럼 소중)에요.

당신은 이 가슴에 영원히 머물 거에요.

패턴 You are the sunshine of my life.

1,020,000 회

'누가(you)-상태모습(are)-어떤(the sunshine)'의 필수 성분이 끝나고, 명사(my life)를 더 쓰려고 전치사 of를 쓴 것이다. of는 한국어의 '~의'와 비슷하지만, 명사 2개가 붙어서 일부를 공유하고 있을 때 쓴다. of 바로 앞의 명사(the sunshine)와 뒤의 명사(my life)가 일부를 공유하고 있다. 나의 삶에 여러가지가 있지만, 그 중 하나는 햇빛(sunshine)인 것이다.

of는 about처럼 '~에 대해'를 의미하기도 한다. about은 대상의 주변을 가리킨다면, of는 대상의 일부를 가리켜서, about보다 더 직접적인 어감이다.

1. 하루 종일, 나는 그에 대해 생각해, 계속해서 그에 대해 꿈꾸면서. 165,000,000 회
힌트 | 발췌 Morning Train

All day, 누가 ___ 한다 ___ ___ ___, dreaming of him constantly.

2. 저는 진실된 사랑의 뜻을 알아요. 1,330,000 회
힌트 meaning 발췌 I Believe I Can Fly

누가 ___ 한다 ___ 무엇을 ___ 무엇을 ___

___ ___ ___

3. 이제, 저는 제 소유의 아이들을 가져요. 1,020,000 회
힌트 own 발췌 Que Sera Sera

Now, 누가 ___ 한다 ___ 무엇을 ___ ___ ___ ___

정답 ① All day, I think of him, dreaming of him constantly. ② I know the meaning of true love.

I'm so sorry that 나는 정말 미안해
your boyfriend went to the army. 네 남자친구가 군대에 갔다니.

I think **of** him **everyday.** 나는 매일 그에 대해 생각해.
But I can't call him. 하지만 그에게 전화할 수는 없어.

나는 너에 대해 생각해. — I think of you. ④
99,400,000 회

나는 누군가에 대해 알아. — I know of someone. ⑤
3,870,000 회

나는 비에 대해 꿈을 꿔. — I dream of rain. ⑥
405,000 회

③ Now, I have children of my own.

마이크 선생이 엄선한 팝송

2

Stickwitu / The Pussycat Dolls

작곡 프랜 골디, 카샤 리빙스턴 **노래** 푸시캣 돌즈 **국적** 미국 **발표** 2005 **장르** 알앤비

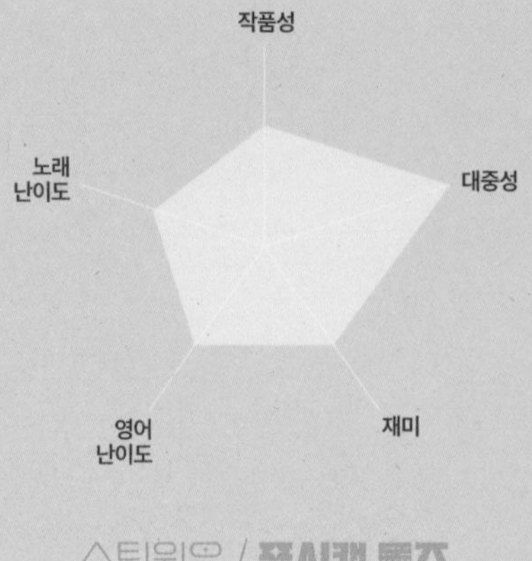

스틱윗유 / 푸시캣 돌즈

the pussycat dolls
stickwitu

2 Stickwitu

3:28

0:06 Mmm... Come on.
음 커몬

0:13 I don't wanna go ______________ day.
아 돈 워너 고 데이

So I'm telling you ______________
쏘 암 텔린뉴

what is on my mind.
왙 이존 마 마인(ㄷ)

0:24 Seems like everybodies breaking up
씸ㅈ 라잌 에브리바리ㅈ ㅂ레이킹 엎

and ______________ their love away.
앤 데얼 러버웨이

But I know I got a
버단노 아 가러

good thing ______________ here
굳 띵 히어

That's why I say (hey)
댙ㅊ 와아 쎄이 헤이

너한테 붙어 있어야 해 (Stick with you)

음... 이리 와.

나는 다른날에는another 가고 싶지 않아.
어너더

그래서 내가 너한테 말하고 있잖아

내 마음에 정확히exactly 무엇이 있는지를.
이ㄱ잭클리

그것은 모든 사람이 헤어지고

그들의 사랑을 버리는throwing 것 같아.
ㄸ로윙

하지만 난 알아

나에게 좋은 것이 바로right 여기에 생겼다는 것을.
라잍

저것이 내가 너한테 말하는 이유야.

▸ don't를 '돈ㅌ' 대신 '돈'으로 주로 소리 낸다.

▸▸ I'm을 '아임' 대신 '암'으로도 많이 소리 낸다.

0:37 Nobody gonna ________ me better.
노바리 거너 미 베러

I must stick with you forever.
암머슽티퀱츄 포레버

Nobody gonna ________ me higher.
노바리 거너 미 하이어

I must stick with you. (oh, baby/come on)
암머슽티퀱츄 오 베이비 커몬

You know how to appreciate me.
유 노우 하우 루 (어)프리씨에잍 미

I must stick with you, my baby.
암머슽티퀱츄 마이 베이비

Nobody ever made me feel this way.
노바리 에버 메잍 미 필 디ㅆ 웨이

I must stick with you.
암머슽티퀴듀

1:01 I don't wanna go another day.
아 돈 워너 고 어너더 데이

So I'm telling you exactly
쏘 암 텔린뉴 이ㄱ잭클리

what is on my mind.
왇 이존 마 마인ㄷ

1:12 See the way we ride, in our private lives
씨 더 웨이 위 라이디놔 프라빝 라이

ain't nobody gettin' in ________.
젠노바디 게린인

I want you to know that
아 원유 루 노우 댈

you're ________ only one for me.
유어 온리 원 포 미

누구도 나를 더 잘 사랑할love 수는 없어.
럽

난 너와 영원히 붙어 있을 거야.

누구도 나를 더 높은 곳에 데려갈take 수는 없어.
테익

나는 너와 붙어 있어야만 해.

너는 어떤식으로 나에게 감사해야 하는지 알지.

나는 너와 붙어 있어야만 해, 내 사랑.

누구도 나를 이렇게 느끼게 만든 적은 없었어.

나는 너와 붙어 있어야만 해.

나는 다른 날에는 가고 싶지 않아.

그래서 내가 너한테 말하고 있잖아

내 마음 속에 정확히 무엇이 있는지를.

우리가 타고 온 길을 봐, 우리의 사생활에서

누구도 우리 사이에between 끼어들지 않지.
비튄

난 네가 알았으면 좋겠어

네가 나에게 유일한 그the 사람이라는 것을.
디

(one for me / and I say)
원 폴 미 애나 쎄

1:25

1:48 And now ain't nothing else I can need. And now
앤 나우 에인 나띵 엘싸이 캔 닏 앤 나우

I'm singing 'cause you're so, so into me.
암 씽잉 커쥬어 쏘 쏘 인투 미

I got you. We'll be making love endlessly.
아이 갇ㄷ 유 윌 비 메이킹 럽 엔(ㄷ)리쓸리

I'm with you. (Baby, I'm with you)
암 윋ㄸ 유 베이비 암 윋쥬

Baby you're with me. (Baby, you're with me)
베이비 유어 윋 미 베이비 요 윋 미

2:13 So don't you worry
쏘 돈츄 워뤼

people hanging around.
피플 행잉 어라운

They ain't bringing us down. **x2**
데이 에인 ㅂ링잉 어ㅆ 다운

I know you, and you know me.
아 노 유 앤쥬 노 미

And that's all that counts(/that's why I say).
앤 댙철 댙 카운ㅊ 댙ㅊ 와아 쎄이

2:37

3:01

(나를 위한 한 사람 / 그리고 내가 말하지)

그리고 이제 그밖에 어떤 것도 난 필요하지 않아.

이제 나는 노래해 너는 나한테 아주 관심이 많으니까.

난 널 가졌어. 우리는 끝없이 사랑을 나눌거야.

난 너와 함께 해. (자기, 난 너와 함께 해)

내 사랑, 너는 나와 함께 해. (자기, 넌 나와 함께 해)

그러니 너는 걱정하지마about
어바뤁

사람들이 어울리는 것에 대해서.

그들은 우리를 무너뜨리지 못해.

나는 너를 알아, 그리고 너는 나를 알지.

그것이 중요한 모든 것이야(그것이 내가 말하는 이유야)

▸ around를 부사로 썼다.

패턴 Nobody gonna love me better.

42,200회

gonna는 be going to를 줄여서 쓴 말이다. 뜻은 '당연히(뻔하게) ~할 것이다'이다. Nobody gonna love me better는 '당연히(뻔하게) 누구도 너보다 나를 더 잘 사랑하지 않을 것이다'를 의미한다. better는 good(좋은)과 well(잘)의 비교급(더 ~한)으로, 여기에서는 문장의 끝이므로 부사의 자리이고, well의 비교급(더 잘)으로 쓴 것이다.

Nobody gonna love me better의 줄여쓰기 전의 문장은 Nobody is going to love me better이다.

① 나는 (당연히) 가고, 가고, 갈 거야.

힌트 go 발췌 Don't Stop Me Now

12,900,000 회

누가+상태모습 ______ 어떤 ______ ______ ______ ______

② 모든 것은 (당연히) 괜찮을 거야.

힌트 all right 발췌 No Woman No Cry

892,000 회

누가+상태모습 ______ 어떤 ______ ______ ______ ______

③ 너는 (당연히) 나의 목소리를 들을 거야.

힌트 voice 발췌 It's My Life

513,000 회

누가+상태모습 ______ 어떤 ______ ______ ______ ______

정답 ① I'm gonna go, go, go. ② Everything's gonna be all right. ③ You're gonna hear my voice.

Sing a song. 노래 해.

The baby could be bored. 아기가 지루할 수도 있어.

You're going to hear my voice. 너는 내 목소리를 들을거야.

Baby shark, Tu, tururu~. 아기 상어, 뚜, 뚜루루~.

나는 일하러 갈 거야. I'm going to work. 4 119,000,000 회

나는 너에게 보여줄 거야. I'm going to show you. 5 46,600,000 회

나는 잘 거야. I'm going to sleep. 6 44,300,000 회

마이크 선생이 엄선한 팝송

3

Scatman's World / **Scatman John**

작곡/노래 스캣맨 존 **국적** 미국 **발표** 1995 **장르** 유로댄스, 하우스, 스캣

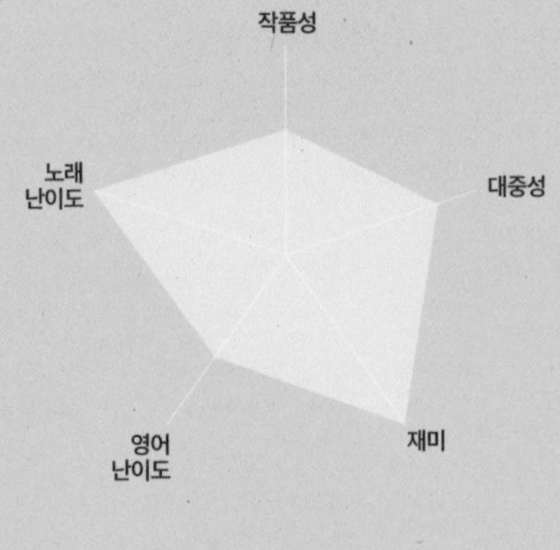

스캣맨스 월드 / **스캣맨 존**

SCATMAN'S WORLD

3 Scatman's World

3:41

0:18 I'm calling out from Scatland.
(암) 컬링 아웉 프럼 ㅅ캘랜ㄷ

I'm calling out from Scatman's world
암 컬링 아웉 프럼 ㅅ캘맨ㅈ 월ㄷ

If ______ wanna break free,
이 워너 ㅂ레잌 ㅍ리

you better ______ to me.
유 베럴 투 미

You got to learn how to see in your fantasy.
유 같 투 럴언 하우루 씨 인 유얼 팬투씨

0:31

0:44 ______ talkin'
터킨

something very shockin' just to
썸띵 베리 샤킨 저슽투

keep on blockin' what they're feelin' inside.
킾뽄 블럭킨 왙떼얼 필리닌싸이ㄷ

But ______ to me brother,
벝 투 미 ㅂ러덜

you just keep on walkin'
유 저ㅅㅌ 킾폰 워킨

스캣맨의 세상

나는 스캣랜드에서 불러내는 중이야.

나는 스캣맨의 세상에서 불러내는 중이야.

당신이you 도망치기를 원한다면,
퓨

당신은 내 말을 듣는 게listen 좋을 거야.
리쓴

어떻게 당신의 환상 속에서 보는지 배워야 하니까.

모두들Everybody's 말하지
에ㅂ뤼바뤼ㅈ

무언가 아주 충격적인 것이 그저

계속 그들의 내면에서 느끼는 것을 막는다고.

하지만 형제여 내말을 귀담아 들어listen,
리쓴

당신은 단지 계속해서 걷고 있어

▸ ㅅ팅도고 롱도 딩도 롱도 롱도 딩디 딩도로 동도 도고도 동, ㅅ캗맨ㅆ 월ㄷ / 빠뽀 뻬, 빠 빠바로 / 빠빠빠 빠, 빠바디 / 빠뽀뻬, 빠 빠바로 / 빠빠빠 빠, 빠바디...
▸▸ 라임을 맞췄다. talkin, shockin, blockin, feelin, walkin / inside,hide / solution, pollution / chooses, loses / touch, crutch

'cause you and me and ______
커ㅈ 유 앤 미 앤

ain't got nothin' to hide.
에인 같 나띤 두 하이ㄷ

0:57 Scatman, fat man,
ㅅ캩맨 퍁 맨

black and white and brown man,
블래깬 와이땐 ㅂ라운 맨

tell me 'bout the ______ of your soul.
텔 미 (어)바웉 더 롭 유얼 쏘울

If ______ of your solution
잎 롭 유얼 쏠루션

isn't ending the pollution,
이즌 엔딩 더 폴루션

then I don't wanna hear your stories told.
덴 아 돈 워너 히얼 유얼 ㅅ토뤼ㅈ 토울ㄷ

I want to ______ you to Scatman's world.
아 워너 유 루 ㅅ캩맨ㅈ 월ㄷ

1:25

1:38 Everybody's born to compete as he chooses.
에ㅂ리바디ㅈ 본 투 컴피래ㅈ 히 츄지ㅈ

______ how can someone win if
하우 캔 썸원 위니ㅍ

winning means that someone loses?
위닝 민ㅈ 댙 썸원 루지ㅈ

I sit and see ______ wonder
아이 앁은 씨 원덜

당신과 나와 자매는sister
씨ㅅ털

숨길 것이 없기 때문에.

스캣맨, 뚱뚱한 남자

흑인과 백인과 갈색 피부(아랍/인도) 남자들은

당신의 영혼의 색깔에color 대해 나에게 말해.
컬러

당신의 해결책의 부분이part
파

그 오염을 끝내지 못한다면,

나는 당신의 이야기가 말해지기를 원하지 않아.

나는 당신을 스캣맨의 세상으로 맞이하기를welcome 원해.
웰컴

모두들 그가 고른대로 경쟁하기 위해 태어나.

하지만But 어떻게 누가 이길 수 있을까
벝

이기는 것이 누군가 지는 것을 의미한다면?

나는 앉아서 보고and 놀라지
앤

▶ ain't는 인칭에 상관없이 구어(말할 때)에서 많이 쓰는 비격식체이다.

what it's like to be in touch.
와릳ㅊ 라잌 투 비 인 터취

No wonder all my brothers ________
노 원더럴 마이 ㅂ러덜

my sisters need a crutch.
마이 씨ㅅ털ㅈ 니더 ㅋ럳취

1:51 I wanna ________ a human being,
아 워너 어 휴먼 비잉

not a human doing.
나러 휴먼 두잉

I couldn't keep that pace up if I tried
아 쿠른 킾 댙 페이썹피파이 ㅌ라이ㄷ

The source of my intention really
(더) 쏠쑈 마인텐션 리어리

isn't ________ prevention
이즌 프리벤션

My intention is prevention of the lie, yeah.
마인텐션 이ㅈ 프리벤셔넢 더 라이 예어

Welcome to the Scatman's world
웰컴 투 더 ㅅ캩맨ㅈ 월ㄷ

2:19

2:58

ㅆ키비러버럽, 삐렁, 비렁

Listen to me.
리쓴 투 미

3:15

어떤 식으로 소통하는 지를 (보고 놀라지)

당연하게도 내 모든 형제들과and
잰

자매들은 목발(의지할 것)이 필요해.

나는 인류라는 존재가 되고be 싶지
비

내 행동 때문에 인간이라고 하고 싶지는 않아.

나는 노력해도 저렇게 계속 속도를 올릴 수 없어

나의 의도의 근거는 정말로

범죄를crime 막는 것이 아니야.
크라임

나의 의도는 그 거짓말을 막는 것이지, 그래.

스캣맨의 세상에 온 것을 환영해.

내 말에 귀를 기울여.

패턴 I want to be a human being.

17,500,000회

to 뒤에 명사가 나오면 '~에 도달'을 뜻하는 전치사지만 뒤에 동사(be)가 나오면 to부정사이다. to부정사의 뜻은 위치에 따라 정해지는데, 가장 많이 쓰는 것(70% 이상)이 무엇을(목적어)자리에서 '~하는 것(명사)'로 쓰는 것이다.

be는 '~상태나 모습이다'라면, to be는 '~상태나 모습인 것'이다. I want to be a human being은 '나는 인간이 되는 것을 원한다'를 뜻한다. 이 구조로 쓸 수 있는 동사는 want, ask, decide, expect, get, hope, need, plan 등이 있다.

① 나는 단지 살기를 원한다/ 내가 살아있는 동안. 561,000,000 회
힌트 live 발췌 It's My Life

누가 ______ just 한다 ______ 무엇을 ______ 무엇을 ______ while I'm alive.

② 나는 네가 저것을 알기를 원한다/ 네가 오직 나를 위한 사람인 것을. 67,400,000 회
힌트 that 발췌 Stickwitu

누가 ______ 한다 ______ you 무엇을 ______ 무엇을 ______ ______
you're the only one for me.

③ 나는 네가 웃게 만들려고 노력했지. 33,500,000 회
힌트 try 발췌 You And Me Song

누가 ______ 한다 ______ 무엇을 ______ 무엇을 ______ you laugh.

정답 ① I just want to live while I'm alive. ② I want you to know that you're the only one for me.

회화

Is there another way without drugs? 약 없이 다른 방법이 있나요?

I want you to know that 저는 당신이 이것을 알기를 원합니다.
eating only vegetables can heal 오직 채소만 먹는 것은 치료합니다
diabetes and high blood pressure. 당뇨병과 고혈압을요.

나는 네가 머물기를 원해. I want you to stay. 
33,100,000 회

나는 네가 행복하기를 원해. I want you to be happy. 5
18,900,000 회

나는 네가 좋은 하루를 가지기를 원해. I want you to have a good day. 
2,960,000 회

③ I try to make you laugh.

더 알아보기 미드천사 기초회화패턴 8단원 | 영화영작 기본패턴 18단원

마이클리시 수준별 책 소개

수준 **입문** 영어를 읽기 어려운 수준

초급 초등학생 ~ 중학생 수준

말하기 · 쓰기

아빠표 영어 구구단
영상 강의 포함

8시간에 끝내는
기초영어 미드천사
<왕초보 패턴>
음성 강의 포함

8시간에 끝내는
기초영어 미드천사
<기초회화 패턴>
음성 강의 포함

유레카 팝송
영어회화 200
영상 강의 포함

8문장으로 끝내는
유럽여행 영어회화
음성 강의 포함

단단 기초
영어공부 혼자하기
영상 강의 포함

6시간에 끝내는
생활영어 회화천사
<5형식/준동사>
음성 강의 포함

6시간에 끝내는
생활영어 회화천사
<전치사/접속사/
조동사/의문문>
음성 강의 포함

읽기

TOP10 영어공부
음성 강의 포함

2시간에 끝내는
한글영어 발음천사
영상 강의 포함
음성 강의 포함

원서 시리즈2

중학영어 독해비급
영상 강의 포함

챗GPT 영어명언
필사 200

스스로 끝까지 볼 수 있는 **기존에 없던 최고의 책**만을 만듭니다.
수준에 맞는 책을 선택하시면 절대 후회하지 않으실 것입니다.
자세한 책 소개는 <영어 공부법 MBTI (1000원)>를 참고하세요.

중급 중학생 ~ 고등학생 수준

고급 대학생 ~ 영어 전공자 수준

4시간에 끝내는 영화영작 <기본패턴>

4시간에 끝내는 영화영작 <응용패턴>

4시간에 끝내는 영화영작 <완성패턴>

모든 책에 책의 본문 전체를 읽어주는 **'원어민MP3'**를 담았기에, 말하기/듣기 훈련이 가능합니다. 대부분의 책에 '무료 음성 강의'나 '무료 영상 강의'를 포함하기에, 혼자서도 익힐 수 있습니다. 한 번에 여러 권을 사지 마시고, 한 권을 반복해서 2번~5번 익힌 뒤에, 다음 책을 사는 것을 추천합니다.

영어명언 만년 다이어리

이상한 나라의 앨리스 영화 영어공부
공부법 영상 강의 포함

TOP10 연설문
음성강의 포함

원서 시리즈1

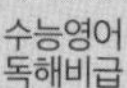
고등영어 독해비급

수능영어 독해비급

잠언 영어성경

토익파트7 독해비급

TOP10 영한대역 단편소설

Copyright 저작권자의 허락을 받고 출간한 책입니다.

Universal Music Publishing Group

Scatman's World / You Are the Sunshine of My Life

Fujipacific Music Korea INC.

Stickwitu

추가 자료 **rb.gy/u5pmz**에서 무료로 받으실 수 있습니다.

팝송 영어공부 유레카 팝송 200 추가책 3곡

1판 1쇄 2023년 12월 14일
지은이 Mike Hwang
발행처 Miklish
전화 010-4718-1329
홈페이지 miklish.com
e-mail iminia@naver.com
ISBN 979-11-87158-52-3 (14740)